Maths

Les re

s

rue des écoles

Auteurs
Hervé Fant
Daniel Pompon

Composition : Linéale Production.
Achevé d'imprimer en UE, en février 2006.
Dépôt légal : février 2006.

Sommaire

Traitement de données et probabilités

Algèbre et analyse

Pourcentages

1. Comment calculer un pourcentage ?

■ On définit d'abord E **l'ensemble** (ou la quantité) **de référence,** puis A **la partie** (ou la quantité) **dont on calcule la proportion.** On appelle, ici, n la grandeur de E et p la grandeur de A.
Le pourcentage de A dans E (ou de A par rapport à E) est le nombre t tel que :
$\frac{t}{100} = \frac{p}{n}$, soit $t = \frac{p}{100} \times 100$.

■ Par exemple, sur une facture, on a les indications suivantes :
Prix HT : 250 € / TVA : 45 € / Prix TTC : 295 €.
Quel est le taux de TVA appliqué ?
On cherche le pourcentage de 45 par rapport à 250.
La quantité de référence est le prix HT : 250.
La quantité dont on calcule la proportion est : 45.
Le pourcentage de TVA est donc :
$\frac{45}{250} \times 100 = 18$. Soit 18 %.

2. Comment utiliser un pourcentage ?

■ Prendre ***t* % d'un nombre *x***, c'est multiplier x par $\frac{t}{100}$.
Ainsi, si un prix HT est de 330 € et que le taux de TVA est de 5,5 %, le montant de la TVA est « 5,5 % de 330 », c'est-à-dire : $\frac{5{,}5}{100} \times 330$; soit 18,15 €.

■ Si le nombre ***y* représente *t* % de *x***, on a $x \times \frac{t}{100} = y \Leftrightarrow x = \frac{y}{t} \times 100$.
Prenons un exemple. La TVA sur un produit est de 6 % et s'élève à 27 €. Le prix hors taxe est le

nombre x dont 6 % égalent 27, c'est-à-dire le nombre x qui vérifie :

$$x \times \frac{6}{100} = 27 \Leftrightarrow x = \frac{27}{6} \times 100.$$

D'où $x = 450$.

■ Pourcentage de pourcentage : **prendre m % de t %**, c'est prendre $\frac{m \times t}{100}$ %.

Exemple : dans un lycée, il y a 60 % de filles et parmi elles 30 % sont internes. Le pourcentage de filles internes dans le lycée est :

$\frac{60 \times 30}{100} = 18$. Il y a donc 18 % de filles internes dans le lycée.

3. Comment calculer une augmentation ou une diminution de pourcentage ?

■ **Augmenter une quantité de t %** équivaut à multiplier sa valeur initiale par $\left(1 + \frac{t}{100}\right)$.

Ainsi, augmenter une quantité de 55 % équivaut à multiplier sa valeur initiale par $\left(1 + \frac{55}{100}\right) = 1{,}55$.

■ **Diminuer une quantité de t %** équivaut à multiplier sa valeur initiale par $\left(1 - \frac{t}{100}\right)$.

Ainsi, diminuer une quantité de 66 % équivaut à multiplier sa valeur initiale par $\left(1 - \frac{66}{100}\right) = 0{,}34$.

4. Quel calcul effectuer dans le cas d'augmentations ou de diminutions successives ?

■ Appliquer à une quantité une **augmentation de t % puis de m %** équivaut à multiplier sa valeur initiale par $\left(1 + \frac{t}{100}\right)\left(1 + \frac{m}{100}\right)$.

■ Appliquer à une quantité une **diminution de t % puis de m %** équivaut à multiplier sa valeur initiale par $\left(1-\frac{t}{100}\right)\left(1-\frac{m}{100}\right)$.

■ Appliquer à une quantité une **augmentation de t % puis une diminution de m %** équivaut à multiplier sa valeur initiale par $\left(1+\frac{t}{100}\right)\left(1-\frac{m}{100}\right)$.

5. Comment formuler des variations sous forme d'indices ?

On part d'une **série chronologique** :

Date	t_0	t_1	...	t_k
Valeur	A_0	A_1	...	A_k

L'indice $I_{k,0}$ à la date t_k, en prenant 100 pour base à la date t_0, est la quantité :

$$I_{k,0} = 100 \times \frac{A_k}{A_0}.$$

Remarques

■ **L'indice $I_{k,0}$** est la quatrième proportionnelle dans le tableau de proportionnalité :

100	$I_{k,0}$
A_0	A_k

■ Les indices permettent non seulement de **comparer plusieurs séries,** mais aussi de déterminer rapidement des **pourcentages d'évolution.** Ainsi, le pourcentage d'évolution de A_0 à A_k est : $(I_{k,0} - 100\ \%)$.

Représentations d'une série statistique

1. Comment établir le tableau d'une série statistique ?

▪ Rappelons le sens de quelques termes en statistique :
- l'ensemble étudié lors d'une enquête statistique est la **population** ;
- un élément de cette population est un **individu** ;
- le nombre total d'individus de la population est sa **taille** ;
- le caractère étudié sur cette population est la **variable statistique** ;
- les valeurs prises par cette variable peuvent être appelées **modalités**.

▪ La variable est :
- **qualitative**, quand elle prend des valeurs non numériques ;
- **quantitative**, quand elle prend des valeurs numériques.

Quand elle est quantitative, elle peut être :
- **discrète** (elle prend un nombre fini de valeurs) ;
- **continue** (elle prend toute valeur comprise entre deux nombres donnés).

▪ ***Remarque*** : quand le nombre de valeurs prises par la variable statistique est trop grand, on traite la variable comme une variable continue.

▪ Quand la variable statistique X est discrète, on compte pour chaque valeur le nombre d'individus prenant cette valeur : c'est l'**effectif**.

On aboutit à un tableau du type :

Valeur de X	x_1	x_2	...	x_p
Effectif	n_1	n_2	...	n_p

On calcule parfois, pour chaque valeur, les **fréquences relatives** : c'est le rapport

$$\frac{\text{effectif de la valeur}}{\text{taille de la population}}.$$

■ Quand le nombre de valeurs prises par la variable statistique est trop grand ou quand la variable est continue, on regroupe les valeurs en **classes.** Ce sont des intervalles semi-ouverts $[x_i, x_{i+1}[$. On appelle **amplitude** de la classe le nombre : $x_{i+1} - x_i$ et **centre** de la classe le nombre : $\frac{x_{i+1} + x_i}{2}$. Pour chaque classe, on compte le nombre d'individus qui prennent une valeur supérieure ou égale à x_i et inférieure à x_{i+1}. Ce sera l'effectif de la classe.

On aboutit à un tableau du type :

Valeur de X	$[x_1, x_2[$	$[x_2, x_3[$	...	$[x_{p-1}, x_p[$
Effectif	n_1	n_2	...	n_p

On calcule parfois, pour chaque classe de valeurs, sa fréquence relative : c'est le rapport

$$\frac{\text{effectif de la classe de valeurs}}{\text{taille de la population}}.$$

Remarque : lors du regroupement des valeurs par classes, on s'efforce d'avoir des classes de même amplitude et qui ne soient pas trop nombreuses. Souvent cependant, les valeurs extrêmes posent problème, d'où des premières ou dernières classes qui sont soit ouvertes soit d'amplitudes différentes.

2. Comment représenter une variable statistique discrète ?

Quand la variable statistique est discrète, on la représente à l'aide d'un **diagramme en bâtons.** On porte en abscisse les valeurs de la variable et on trace, pour chaque valeur, parallèlement à l'axe des ordonnées, un bâton de longueur proportionnelle à l'effectif de la valeur.

Remarque : on peut aussi tracer un diagramme en bâtons des fréquences relatives. Il suffit de tracer, pour chaque valeur, parallèlement à l'axe des ordonnées, un bâton de longueur proportionnelle à la fréquence relative de la valeur.

3. Quand utiliser un histogramme ?

Quand les valeurs prises par la variable sont regroupées en **classes,** la représentation graphique prend la forme d'un histogramme. Un histogramme est constitué de rectangles juxtaposés ; la largeur de chaque rectangle correspond à l'intervalle de la classe correspondante ; sa hauteur est telle que l'aire du rectangle est proportionnelle à l'effectif de la classe.

En joignant les milieux des sommets de chaque rectangle, on obtient le **polygone des effectifs.**

Remarques

- Attention, ce sont les aires des rectangles qui sont proportionnelles aux effectifs représentés. Les hauteurs ne leur sont proportionnelles que lorsque l'on a des classes de même amplitude.
- On peut aussi tracer l'histogramme des fréquences relatives. Chaque rectangle a alors une aire proportionnelle à la fréquence relative de la classe correspondante. En joignant les milieux

des sommets de chaque rectangle, on obtient le **polygone des fréquences relatives.**

4. Comment tracer la courbe des effectifs cumulés ?

■ Une courbe des effectifs cumulés (ou des fréquences cumulées) est croissante ou décroissante.
■ Pour tracer la courbe des **effectifs cumulés croissants**, on détermine d'abord pour chaque classe $[x_i, x_{i+1}[$ l'effectif cumulé croissant N_i, c'est-à-dire le nombre d'individus qui prennent une valeur inférieure à x_{i+1}. On place ensuite dans un repère les points (x_{i+1}, N_i) : on obtient ainsi la courbe des effectifs cumulés croissants.
■ Pour tracer la courbe des **fréquences relatives cumulées croissantes**, on procède de même. N_i est alors remplacé par F_i qui désigne le pourcentage des individus qui prennent une valeur inférieure à x_{i+1}.
■ En remplaçant « inférieur » par « supérieur », on obtient de même les courbes des effectifs cumulés **décroissants** ou celle des fréquences relatives cumulées décroissantes.

5. Comment représenter une série qualitative ?

Pour représenter les résultats d'une enquête, dans le cas d'une variable statistique qualitative (par exemple, pour représenter les résultats d'un sondage), on utilise le plus souvent un **diagramme circulaire**. Celui-ci se présente sous la forme d'un disque divisé en autant de secteurs que de valeurs représentées ; l'aire de chaque secteur est proportionnelle à l'effectif ou à la fréquence relative de la valeur correspondante.

Séries chronologiques et tableaux à double entrée

1. Comment reconnaître une série chronologique ?

■ Une série chronologique est une série de valeurs d'une même variable statistique X observée à intervalles réguliers dans le temps. Ces intervalles peuvent être en heures, jours, mois, années, etc. Le but de l'étude des séries chronologiques est de dégager une tendance générale d'évolution ou une périodicité malgré des variations irrégulières.

■ La présentation est la suivante :

Date	t_1	t_2	......	t_i	......	t_{n-1}	t_n
Valeur	x_1	x_2	......	x_i	......	x_{n-1}	x_n

Remarque
Lorsque la série comporte beaucoup de valeurs, comme l'intervalle de temps est constant, on omet parfois la date.

2. Comment lisser une série chronologique par les moyennes mobiles ?

■ Une technique pour dégager les grandes tendances d'une série chronologique consiste à remplacer chaque terme de la série par **la moyenne de ce terme et de termes voisins.**

Lisser une série chronologique par les moyennes mobiles d'ordre 3 consiste à remplacer la série du tableau initial par le tableau suivant :

Date	t_1	t_2	......	t_i	......	t_{n-1}	t_n
Valeur		x_2'	......	x_i	......	x_{n-1}'	

Où : $x_i' = \dfrac{x_{i-1} + x_i + x_{i+1}}{3}$, avec $2 \leq i \leq n-1$.

■ Plus généralement, lisser une série chronologique par les moyennes mobiles d'ordre k consiste à remplacer la série initiale par la **série des moyennes mobiles** d'ordre k où chaque terme est remplacé par la moyenne arithmétique calculée sur les k termes voisins.

■ En pratique :

– si $k = 2p + 1$, on remplace chaque terme par la moyenne de ce terme, des p termes qui précèdent et des p termes qui suivent.

– si $k = 2p$, on remplace chaque terme par la moyenne de ce terme, des p termes qui précèdent et des p termes qui suivent, mais en affectant aux termes extrêmes le coefficient $\frac{1}{2}$.

3. Comment établir le tableau de deux séries sur une même population ?

On étudie X et Y, deux variables statistiques qualitatives sur une même population de taille N.

Les valeurs, ou modalités, prises par X sont : $x_1, x_2, \ldots, x_p$.

Les valeurs, ou modalités, prises par Y sont : $y_1, y_2, \ldots, y_q$.

On présente dans un tableau à double entrée comment se répartissent les individus de la population :

X \ Y	y_1	...	y_j	...	y_q	Total
x_1	n_{11}		n_{1j}		n_{1q}	$n_{1.}$
...						...
x_i	x_{i1}		n_{ij}		n_{iq}	$n_{i.}$
...						...
x_p	n_{p1}		n_{pj}		n_{pq}	$n_{p.}$
Total	$n_{.1}$	...	$n_{.j}$	...	$n_{.q}$	N

N est l'effectif total de la population.
L'effectif correspondant à la i^e ligne et la j^e colonne est n_{ij} ; c'est le nombre d'individus prenant à la fois la modalité x_i et la modalité y_j.
Les ligne et colonne nommées « Total » sont appelées **distributions marginales**. Elles reconstituent les séries statistiques X et Y sur notre population.
L'effectif de la modalité x_i est $n_{i.}$, c'est le nombre d'individus prenant la modalité x_i.
On a $n_{i1} + n_{i2} + n_{ij} + \ldots + n_{iq} = n_{i.}$.
L'effectif de la modalité y_j est $n_{.j}$, c'est le nombre d'individus prenant la modalité y_j.
On a $n_{1j} + n_{2j} + \ldots + n_{ij} + \ldots + n_{pj} = n_{.j}$.

4. Comment calculer les fréquences marginales et conditionnelles ?

X et Y sont deux variables statistiques qualitatives sur une même population.

On a :

X \ Y	y_1	...	y_j	...	y_q	Total
x_1	n_{11}		n_{1j}		n_{1q}	$n_{1.}$
...						...
x_i	x_{i1}		n_{ij}		n_{iq}	$n_{i.}$
...						...
x_p	n_{p1}		n_{pj}		n_{pq}	$n_{p.}$
Total	$n_{.1}$	...	$n_{.j}$	...	$n_{.q}$	N

La fréquence marginale de la modalité x_i est égale à : $\frac{n_{i.}}{N}$.

La fréquence marginale de la modalité y_j est égale à : $\frac{n_{.j}}{N}$.

La fréquence conditionnelle de la modalité x_i dans la modalité y_j (ou fréquence de x_i sachant y_j) est égale à $\frac{n_{ij}}{n_{.j}}$.

La fréquence conditionnelle de la modalité y_j dans la modalité x_i (ou fréquence de y_i sachant x_i) est égale à $\frac{n_{ij}}{n_{i.}}$.

Mesures de dispersion d'une série

1. Comment calculer une variance et un écart type ?

■ Soit la série statistique de taille n suivante :

X	x_1	x_2	...	x_p	
Effectif	n_1	n_2	...	n_p	n

On remarque que $n_1 + n_2 + \ldots + n_p = n$.
On rappelle que la moyenne de X est le nombre :

$$\bar{X} = \frac{1}{n}(n_1x_1 + n_2x_2 + \ldots + n_px_p).$$

■ On appelle **variance** de la série statistique X, le nombre :

$$V(X) = \frac{1}{n}(n_1(x_1 - \bar{X})^2 + n_2(x_2 - \bar{X})^2 + \ldots + n_p(x_p - \bar{X})^2).$$

Ce qu'on écrit de manière plus compacte :

$$V(X) = \frac{1}{n}\sum_{i=1}^{p} n_i(x_i - \bar{X})^2.$$

■ L'**écart type** de X est le nombre :
$s(X) = \sqrt{V(X)}$.

2. Comment calculer la médiane d'une série statistique ?

La médiane m_e est le nombre qui sépare la série ordonnée en valeurs croissantes en deux groupes de **même effectif**.
Pour la déterminer, on écrit la liste de toutes les valeurs de la série par ordre croissant, chacune d'elle répétée autant de fois que son effectif.

Si l'effectif total n est un nombre **impair**, la médiane est le terme de rang $\frac{n+1}{2}$.

Si l'effectif total n est un nombre **pair**, la médiane est le centre de l'intervalle formé par les termes de rang $\frac{n}{2}$ et $\frac{n}{2}+1$.

Remarque : quand la série est regroupée par classes, on détermine la médiane graphiquement à partir de la courbe des effectifs cumulés ou des fréquences cumulées.

3. Comment déterminer les quartiles d'une série statistique ?

Soit une série statistique X de taille n.

- Le **premier quartile** Q_1 est la plus petite valeur de la série telle qu'au moins 25 % des données soient inférieures ou égales à Q_1.
- Le **troisième quartile** Q_3 est la plus petite valeur de la série telle qu'au moins 75 % des données soient inférieures ou égales à Q_3.
- L'**intervalle interquartile** est l'intervalle $[Q_1, Q_3]$.

Le nombre $I = Q_3 - Q_1$ s'appelle l'interquartile.

- Pour déterminer les quartiles Q_1 et Q_3, on procède un peu de la même façon que pour la médiane. On dresse la liste de toutes les valeurs de la série par ordre croissant, chaque valeur étant répétée autant de fois que son effectif.

Si $\frac{n}{4}$ est un entier p, Q_1 est le terme de rang p et Q_3 est le terme de rang $3p$;

Si $\frac{n}{4}$ n'est pas un entier, Q_1 est le terme de rang immédiatement supérieur à $\frac{n}{4}$ et Q_3 est le terme de rang immédiatement supérieur à $3\frac{n}{4}$.

Remarque : comme dans le cas de la médiane, lorsque la série est regroupée par classes, on détermine les quartiles graphiquement à partir de la courbe des effectifs ou des fréquences cumulés.

4. Comment se transforment les paramètres d'une série lors d'un changement affine ?

- Soit la série statistique de taille n suivante :

X	x_1	x_2	...	x_p	
Effectif	n_1	n_2	...	n_p	n

- On considère la série statistique $Y = aX + b$. C'est-à-dire la série :

Y	y_1	y_2	...	y_p	
Effectif	n_1	n_2	...	n_p	n

Où $y_i = ax_i + b$

- En reprenant les notations précédentes, on a : $\bar{Y} = a\bar{X} + b$, $V(Y) = a^2 V(X)$ et $s(Y) = |a| s(X)$.

- Si m_e, Q_1, Q_2 sont respectivement la médiane, le 1er quartile et le 3e quartile de X et si m_e', Q_1', Q_2' sont respectivement la médiane, le 1er quartile et le 3e quartile de Y, alors on a : $m_e' = am_e + b$.

Et si $a > 0$,

$Q_1' = aQ_1 + b$ et $Q_3' = aQ_3 + b$.

Mais si $a < 0$,

$Q_1' = aQ_3 + b$ et $Q_3' = aQ_1 + b$.

5. Comment tracer un diagramme en boîtes ?

On construit un diagramme en boîtes de la façon suivante :

– sur un axe vertical ou horizontal, on repère les valeurs de la série statistique ;

– on place le minimum et le maximum de la série le 1er quartile, le 3e quartile et la médiane ;

– on construit le rectangle (la boîte) parallèle à l'axe, de longueur l'interquartile et de largeur arbitraire.

Ce diagramme en boîte est aussi appelé **diagramme à moustaches** ou **diagramme à pattes**

Exemple : soit une variable statistique X dont le maximum est 55, le minimum 20, la médiane 38 le 1er quartile 32,5 et le 3e quartile 45.

On construit alors le diagramme en boîte suivant :

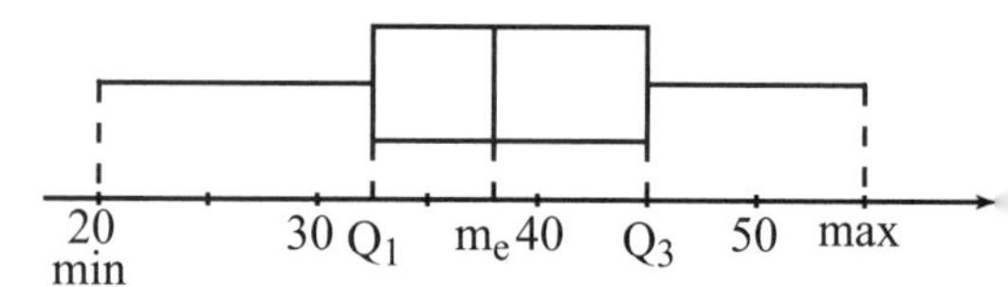

Probabilités

1. Comment définir une probabilité ?

On part d'une **expérience aléatoire** E, c'est-à-dire une expérience dont on peut prévoir les issues possibles, mais dont on ne connaît le résultat qu'après qu'elle s'est réalisée.

■ Première étape : à l'aide de diagrammes, d'arbres, de tableaux, on détermine toutes les issues possibles de l'expérience aléatoire. On définit ainsi l'**univers** Ω comme l'**ensemble de toutes les issues possibles de** E.

On a : $\Omega = \{e_1, e_2, \ldots, e_n\}$.

■ Deuxième étape : **à chaque issue on attribue une probabilité,** c'est-à-dire qu'à chaque e_i on associe un nombre p_i. Ces nombres doivent vérifier les conditions suivantes :

$$\begin{cases} 0 \leq p_i \leq 1, \text{ pour tout } i \in \{1, \ldots, n\} \\ p_1 + p_2 + \ldots + p_n = 1 \end{cases}$$

■ Pour déterminer les nombres p_i, il existe deux possibilités :

– soit on associe à toutes les issues la même probabilité $p_i = \frac{1}{n}$, on dit alors que la probabilité est **équirépartie** ou que l'on est dans une situation d'**équiprobabilité** ;

– soit on répète l'expérience dans des conditions identiques, on définit alors p_i comme la fréquence de x_i quand le nombre de répétitions tend vers $+\infty$.

■ À l'issue de ces deux étapes, on a établi la **loi de probabilité** que l'on présente sous forme de tableau :

Issue	e_1	e_2	...	e_n	
Probabilité	p_1	p_2	...	p_n	1

Remarque : la première étape est essentielle. Il s'agit d'abord de bien comprendre l'expérience, de la visualiser et de la simuler pour écrire quelques issues possibles. Il s'agit enfin de déterminer toutes les issues de l'expérience. C'est dans ce « toutes » que réside la difficulté. On verra par la suite que savoir simplement **combien il y a d'issues possibles** à l'expérience sera suffisant.

2. Comment calculer la probabilité d'un événement ?

Soit *E* une expérience aléatoire et
$\Omega = \{e_1, e_2, \ldots, e_n\}$, l'univers associé à *E*.

- On appelle **événement** de l'expérience aléatoire *E*, tout sous-ensemble de Ω. Autrement dit, un événement *A* est une partie de Ω.

Quand x_i appartient à *A*, on dit aussi que x_i **réalise** *A*.

- On appelle **événement élémentaire,** un événement constitué d'un seul élément de Ω, c'est-à-dire constitué d'une seule issue $\{e_i\}$.
- La probabilité $P(A)$ d'un événement *A* est la **somme des probabilités des issues** qui le constituent.

Remarques

- La probabilité d'un événement élémentaire $\{e_i\}$ est p_i.
- Ω est appelé **événement certain,** $P(\Omega) = 1$.
- Le sous-ensemble vide, noté $\varnothing$, est appelé **événement impossible,** $P(\varnothing) = 0$.

■ Dans le cas où la probabilité est équirépartie, chaque issue e_i a pour probabilité $\frac{1}{n}$.

Ainsi, si A contient m éléments, $P(A) = m \times \frac{1}{n}$.

Autrement dit :

$$P(A) = \frac{\text{nombre d'éléments de } A}{\text{nombre d'éléments de } \Omega}.$$

3. Comment calculer la probabilité de $A \cup B$ et de $A \cap B$?

Soit A et B deux événements d'une même expérience aléatoire.

$A \cup B$ est l'événement constitué des issues qui appartiennent **à A ou à B**.

$A \cap B$ est l'événement constitué des issues qui appartiennent **à la fois à A et à B**.

Quand $A \cap B = \varnothing$, c'est-à-dire quand aucune issue n'appartient à la fois à A et à B, on dit que A et B sont **incompatibles** (ou disjoints).

■ Si A et B sont quelconques :

$P(A \cup B) = P(A) + P(B) - P(A \cap B)$.

■ Si A et B sont incompatibles (ou disjoints) :

$P(A \cup B) = P(A) + P(B)$.

4. Comment calculer la probabilité d'un événement contraire ?

L'événement contraire de A, noté $\bar{A}$, est l'événement qui se réalise **quand A n'est pas réalisé.**

Il est constitué des issues de Ω qui n'appartiennent pas à A.

Cela se résume ainsi : $A \cap \bar{A} = \varnothing$ et $A \cup \bar{A} = \Omega$.

En utilisant les propriétés du paragraphe précédent, on montre que pour tout événement A :

$P(\bar{A}) = 1 - P(A)$.

Systèmes d'équations ou d'inéquations linéaires

1. Comment résoudre un problème à l'aide d'un système d'équations ou d'inéquations ?

La résolution comprend plusieurs étapes :
– d'abord on définit explicitement les inconnues en les désignant par des variables (x, y, n, etc.) et en précisant leurs unités si nécessaire ;
– ensuite on traduit par une équation ou une inéquation chaque renseignement (ou contrainte) sur une grandeur ;
– on résout alors le système d'équations par **substitution** d'une variable ou par **combinaison** linéaire des équations. Un système d'inéquations ne peut se résoudre que **graphiquement** (dans le plan s'il comprend deux inconnues, dans l'espace s'il en comprend trois) ;
– enfin, on conclut brièvement le problème posé.

2. Comment résoudre graphiquement un système linéaire de deux équations à deux inconnues ?

■ Une équation linéaire à deux inconnues x et y s'écrit sous la forme : $ax + by + c = 0$. Si $(a ; b) \neq (0 ; 0)$, donc si les coefficients a et b ne sont pas nuls en même temps, une telle égalité est l'équation d'une **droite**. Cette droite est l'ensemble des points M dont les coordonnées $(x ; y)$ sont solutions de l'équation $ax + by + c = 0$.
■ Un système linéaire de deux équations à deux inconnues se représente graphiquement par

deux droites dont les équations sont celles du système. On distingue trois cas de figure :
– si les deux droites sont **sécantes,** les coordonnées de leur point d'intersection donne le couple solution du système ;
– si les deux droites sont **parallèles et distinctes,** le système n'a pas de solution. On écrit alors S = ∅ (l'ensemble des solutions est l'ensemble vide) ;
– si les deux droites sont **parallèles et confondues,** le système a une infinité de couples solutions. Ce sont les coordonnées des points de la droite.

3. Comment résoudre un système linéaire d'équations par substitution ?

■ Les systèmes rencontrés sont généralement composés de deux équations à deux inconnues ou de trois équations à trois inconnues.
Pour résoudre de tels systèmes, le plus simple est d'utiliser l'une des équations pour **écrire une inconnue en fonction des autres**. Dans les autres équations, on remplace alors cette inconnue par l'écriture obtenue, puis on simplifie. Apparaît ainsi un sous-système, plus facile à résoudre, qui comporte une inconnue de moins.
■ Pour éviter les fautes d'étourderie, il faut travailler avec l'ensemble des équations du système. On dit que l'on raisonne par **systèmes équivalents**.
■ Si la solution est un couple ou un triplet de valeurs, on vérifie le résultat en remplaçant, dans les équations initiales, les variables par les valeurs trouvées.

4. Qu'est-ce que la méthode du pivot de Gauss ?

La méthode du pivot de Gauss est la méthode de résolution par **combinaison linéaire**, connue depuis la classe de 3e, mais appliquée à des systèmes de trois équations ou plus.
Elle consiste à combiner les équations pour obtenir un système triangulaire, à partir duquel on obtient les solutions une à une.

Remarque
Ce procédé s'impose lorsque la méthode par substitution risque de faire apparaître des fractions (c'est le cas si aucune inconnue ne possède un coefficient égal à 1 ou – 1).

5. Comment résoudre un système linéaire d'inéquations à deux inconnues ?

■ La seule méthode de résolution est **graphique**. Chaque inéquation linéaire à deux inconnues du type $ax + by + c \leq 0$ ou $ax + by + c \geq 0$ correspond à un **demi-plan** ayant pour frontière la droite d'équation $ax + by + c = 0$ (pour un tracé plus précis, les droites frontières seront construites à partir de leurs intersections avec les axes).

■ Pour savoir quel demi-plan convient, on teste l'inégalité en un point, souvent l'origine (0 ; 0). On hachure chaque demi-plan qui ne convient pas. Lorsque l'inégalité est stricte, on note la droite frontière en pointillés.
Les couples solutions du système sont les coordonnées des points qui appartiennent à la partie du plan qui n'est pas hachurée et qui ne sont pas sur une droite frontière en pointillés.

6. Qu'appelle-t-on « programmation linéaire » ?

■ Les problèmes de « programmation linéaire » sont des problèmes d'optimisation : à l'aide d'un graphique, on résout un système linéaire d'équations ou d'inéquations, **dans le but d'optimiser ou de minimiser une variable** (en général, une dépense, un bénéfice, etc.), compte tenu de certaines contraintes.

■ Pour rechercher un **coût minimal** ou un **bénéfice maximal** tout en respectant des contraintes, on est amené à chercher à rendre minimum ou maximum une expression du type $Q = ax + by$ sur une zone du plan.

La quantité $Q = ax + by$ correspond à une **famille de droites parallèles de même pente** $\frac{-a}{b}$.

À partir de l'une de ces droites (par exemple celle qui passe par l'origine, d'équation $ax + by = 0$), on détermine graphiquement la parallèle qui coupe l'axe des ordonnées le plus bas ou le plus haut possible, tout en traversant la zone des contraintes.

La droite la plus basse minimise la quantité Q, la droite la plus haute la maximise.

■ Généralement, un seul point de la zone des contraintes appartient à la droite solution. Il suffit de remplacer x et y par les coordonnées de ce point pour obtenir la valeur de Q cherchée.

Équations et inéquations du second degré

1. Comment déterminer le nombre de solutions d'une équation du second degré ?

Pour résoudre une équation du second degré, on transpose tous les termes dans **un seul membre** pour obtenir une écriture de la forme : $ax^2 + bx + c = 0$.

On calcule alors le **discriminant** Δ :

$\Delta = b^2 - 4ac$.

Trois cas peuvent se produire :

– si $\Delta < 0$, l'équation n'a pas de solution ;

– si $\Delta = 0$, l'équation a une solution ;

– si $\Delta > 0$, l'équation a deux solutions.

2. Comment calculer les solutions d'une équation du second degré ?

■ Si l'on sait factoriser le membre de gauche de l'équation, on cherche les valeurs qui annulent chacun des facteurs.

■ Si l'on ne sait pas factoriser, **les solutions sont données par les formules** suivantes :

$$x_1 = \frac{-b - \sqrt{\Delta}}{2a}$$

$$x_2 = \frac{-b + \sqrt{\Delta}}{2a}$$

La forme factorisée de l'équation $ax^2 + bx + c = 0$ s'écrit alors : $a(x - x_1)(x - x_2)$.

■ Si $\Delta = 0$, la **solution unique** est : $x_1 = \frac{-b}{2a}$.

La forme factorisée s'écrit alors : $a(x - x_1)^2$.

3. Comment résoudre graphiquement une équation du second degré ?

La **parabole** d'équation $y = ax^2 + bx + c$ peut couper l'axe des abscisses en un point, deux points ou pas du tout. Les abscisses des points d'intersection, lorsqu'ils existent, sont les solutions de l'équation $ax^2 + bx + c = 0$.

4. Comment connaître le signe d'une fonction du second degré ?

Le signe d'une fonction du second degré $f(x) = ax^2 + bx + c$ dépend du signe de a et du signe du discriminant Δ.

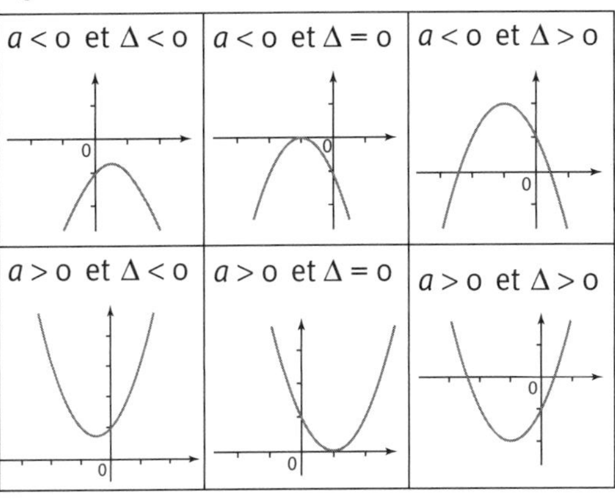

Si $\Delta \leq 0$, alors $f(x)$ est du signe de a.

Si $\Delta > 0$, alors $f(x)$ est :

– du signe de a à l'**extérieur des racines** x_1 et x_2 (c'est-à-dire sur les intervalles $]-\infty\,;x_1]$ et $[x_2\,;+\infty[$, si $x_1 \leq x_2$) ;

– du signe opposé à celui de a à l'**intérieur des racines** (sur l'intervalle $[x_1\,;x_2]$).

5. Comment résoudre une inéquation du second degré ?

On transpose d'abord tous les termes de l'inéquation dans un seul membre pour obtenir une écriture de la forme $ax^2 + bx + c \leq 0$ ou de la forme $ax^2 + bx + c \geq 0$.
On calcule ensuite le discriminant Δ.
$\Delta = b^2 - 4ac$:
– si $\Delta \leq 0$ alors $ax^2 + bx + c$ est du signe de a ;
– si $\Delta > 0$ alors $ax^2 + bx + c$ est du signe de a à l'extérieur des racines x_1 et x_2, et du signe opposé à celui de a à l'intérieur des racines x_1 et x_2.

Suites

1. Pourquoi définir une suite ?

Définir une suite numérique (U_n), c'est **associer à chaque entier naturel n, un nombre réel U_n**.
On étudie tout particulièrement les suites de base que sont les suites arithmétiques et géométriques car leurs **applications économiques** sont nombreuses : progression d'une population à taux constant, valeur acquise d'un placement à intérêts simples ou à intérêts composés pour une période donnée, etc.
Des formules permettent de calculer directement la somme de leurs premiers termes.

2. Par quelles méthodes engendrer une suite numérique ?

Pour une suite numérique (U_n), on appelle U_n le terme de rang n de la suite.
Une suite peut ainsi être définie :
– directement **par son terme général** de rang n, U_n est alors défini en fonction de n par une relation $U_n = f(n)$;
– **par une relation de récurrence** qui permet de passer d'un terme de rang n au terme de rang suivant $n + 1$ et par la donnée de son premier terme U_0 (si la suite est définie à partir du rang 0). Cette méthode nécessite de calculer tous les termes, jusqu'au terme de rang demandé.

3. Comment savoir si une suite est croissante ou décroissante ?

■ Une suite (U_n) est **croissante** lorsque, pour tout rang n, on a $U_{n+1} \geq U_n$. C'est-à-dire que

plus le rang est élevé, plus le terme de la suite est grand.
De façon analogue, une suite (U_n) est **décroissante** lorsque, pour tout n, on a $U_{n+1} \leq U_n$.
Si $U_{n+1} = U_n$ pour tout rang n, on dit que la suite (U_n) est **stationnaire.**
Dans tous les cas, on étudie le signe de la différence $U_{n+1} - U_n$.

■ Si la suite est définie par son terme général $U_n = f(n)$, le sens de variation de la suite U_n est le même que le **sens de variation de la fonction** f sur l'ensemble des réels positifs :
– si la fonction f est croissante sur $[0 ; +\infty[$, alors la suite (U_n) est croissante ;
– si la fonction f est décroissante sur $[0 ; +\infty[$, alors la suite (U_n) est décroissante.

4. Comment démontrer qu'une suite est ou n'est pas arithmétique ?

■ Une suite est dite **arithmétique** lorsque chaque terme se déduit du précédent en lui ajoutant un réel constant. Elle est donc arithmétique s'il existe un réel a (a est une constante qui dépend de la suite) tel que, pour tout n, $U_{n+1} = U_n + a$.
Le réel constant a est appelé la **raison** de la suite.
■ Pour démontrer qu'une suite (U_n) est arithmétique, on montre que, pour tout entier naturel n, la différence $U_{n+1} - U_n$ est constante, c'est-à-dire ne dépend pas de n.
■ Pour démontrer qu'une suite n'est pas arithmétique, il suffit d'un contre-exemple : en général, le calcul des trois premiers termes de la suite suffit.

5. Comment démontrer qu'une suite est ou n'est pas géométrique ?

■ Une suite est dite **géométrique** lorsque chaque terme se déduit du précédent en le multipliant par un réel constant. Elle est donc géométrique s'il existe une constante b dépendant de la suite telle que, pour tout n, $U_{n+1} = U_n \times b$.
Le réel constant b est appelé la **raison** de la suite.

■ Pour démontrer qu'une suite (U_n) est géométrique, on montre que, pour tout entier naturel n, $U_{n+1} = U_n \times$ constante.
On évitera de calculer le rapport $\frac{U_{n+1}}{U_n}$, qui n'existe pas si l'un des termes de la suite est nul.

■ Pour démontrer qu'une suite n'est pas géométrique, il suffit d'un contre-exemple : en général, le calcul des trois premiers termes de la suite suffit.

6. Quel est le terme général d'une suite arithmétique ? d'une suite géométrique ?

■ Si le premier terme d'une suite **arithmétique** (U_n) est U_0 et sa raison r, alors le terme général de cette suite est $U_n = U_0 + n \times r$.
Exemple : la valeur acquise C_n au bout de n périodes par un capital C_0 placé au taux périodique de t % à **intérêts simples** est le terme général d'une suite arithmétique de premier terme C_0 et de raison $C_0 \times t$:
$C_n = C_0 + C_0 \times t \times n$.

■ Si le premier terme d'une suite **géométrique** (U_n) est U_0 et sa raison q, alors le terme général de cette suite est $U_n = U_0 \times q^n$.

Exemple : la valeur acquise C_n au bout de n périodes par un capital C_0 placé au taux périodique de t % à **intérêts composés** est le terme général d'une suite géométrique de premier terme C_0 et de raison $(1 + t)$:

$$C_n = C_0(1+t)^n$$

7. Comment calculer la somme des termes d'une suite arithmétique et d'une suite géométrique ?

■ Pour une suite **arithmétique,** la somme des premiers termes est égale au produit du nombre de termes par la demi-somme du premier et du dernier terme.

$$U_0 + U_1 + U_2 + \ldots + U_n = (n+1)\left(\frac{U_0 + U_n}{2}\right)$$

(ici, il y a $n + 1$ termes).

■ Pour une suite **géométrique** de raison q, différente de 1 ($q \neq 1$), la somme des premiers termes est le produit du premier terme par le quotient de $1 - q^{\text{nombre de termes}}$ par $1 - q$.

$$U_0 + U_0 \times q \ldots + U_0 \times q^n = U_0 \times \frac{1-q^n}{1-q},$$

(ici, il y a $n + 1$ termes).

Si la raison q est égale à 1 ($q = 1$), la suite est **stationnaire** et la somme des premiers termes est alors le produit du premier terme par le nombre de termes, soit :

$$U_0 + U_0 \times 1 \ldots + U_0 \times 1^n = (n+1) \times U_0.$$

Opérations sur les fonctions

1. Comment définir la somme, la différence, le produit ou le quotient de deux fonctions données ?

Si f est une fonction définie sur un intervalle I et g une fonction définie sur un intervalle J, alors la fonction somme de f et g notée $\boldsymbol{f+g}$, la fonction différence $\boldsymbol{f-g}$, la fonction produit $\boldsymbol{f\times g}$ sont définies sur l'intervalle $I \cap J$ (intersection des intervalles I et J), par :

$(f+g)(x) = f(x)+g(x)$
$(f-g)(x) = f(x)-g(x)$
$(f\times g)(x) = f(x)\times g(x)$

La fonction quotient $\boldsymbol{\dfrac{f}{g}}$ est définie par :

$\left(\dfrac{f}{g}\right)(x) = \dfrac{f(x)}{g(x)}$, sur l'intervalle $I \cap J$ privé des valeurs pour lesquelles la fonction g s'annule.

2. Qu'est-ce que la composée de deux fonctions ?

Soit une fonction f définie sur un intervalle I et une fonction g définie sur un intervalle J.

La composée de la fonction f suivie de la fonction g est une fonction u, définie pour tout x de I tel que $f(x) \in J$, par $u(x) = g[f(x)]$. Cette fonction est notée $g \circ f$, on a alors :

$g \circ f(x) = g[f(x)]$.

Remarque : la fonction composée de la fonction f, suivie de la fonction g, est généralement différente de la composée de g suivie de la fonction f. Dans la plupart des cas, on a : $\boldsymbol{g \circ f \neq f \circ g}$.

3. Comment décomposer une fonction en une suite d'opérateurs ?

Les opérateurs les plus courants sont les fonctions suivantes :
- multiplier par un réel k : $x \mapsto kx$;
- ajouter un réel k : $x \mapsto x + k$;
- prendre l'opposé : $x \mapsto -x$;
- prendre l'inverse : $x \mapsto \frac{1}{x}$;
- élever au carré : $x \mapsto x^2$;
- prendre la racine carrée : $x \mapsto \sqrt{x}$;
- soustraire un réel k : $x \mapsto x - k$.

Pour décomposer une fonction, on cherche l'enchaînement des opérations à effectuer pour trouver l'image d'un nombre. À chaque opération on associe l'opérateur correspondant.

Exemple

Ainsi, pour calculer l'image d'un nombre par la fonction $f : x \mapsto (x-3)^2$, on doit soustraire 3 à x, puis élever le résultat au carré. C'est-à-dire appliquer successivement les deux opérateurs : $f_1 : x \mapsto x - 3$ et $f_2 : x \mapsto x^2$.

On écrit alors :

$$f : x \xrightarrow{f_1} x - 3 \xrightarrow{f_2} (x-3)^2$$

Ou encore :

$$f(x) = f_2 \circ f_1(x) = f_2(f_1(x)) = f_2(x-3)$$
$$= (x-3)^2.$$

4. Comment déduire la représentation graphique des fonctions $x \mapsto f(x) + k$ et $x \mapsto f(x + k)$ de la représentation graphique de la fonction f ?

■ Dans le repère $(O ; \vec{i} ; \vec{j})$, la courbe représentant la fonction $x \mapsto f(x) + k$ se déduit de la représentation graphique de la fonction f par la translation de vecteur $k \times \vec{j}$.

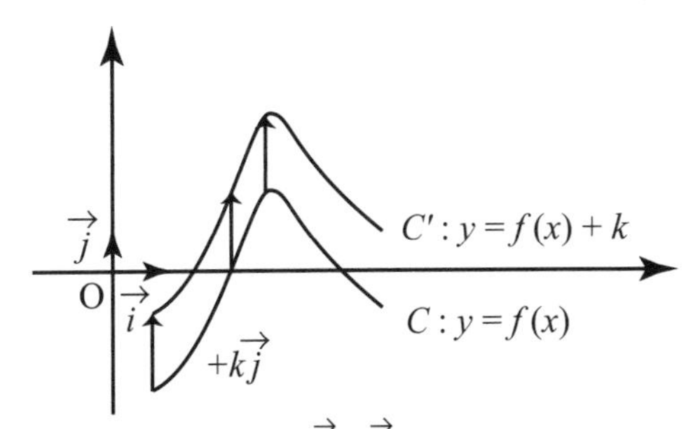

■ Dans le repère $(O ; \vec{i} ; \vec{j})$ la courbe représentant la fonction $x \mapsto f(x + k)$ se déduit de la représentation graphique de la fonction f par la translation de vecteur $-k \times \vec{i}$.

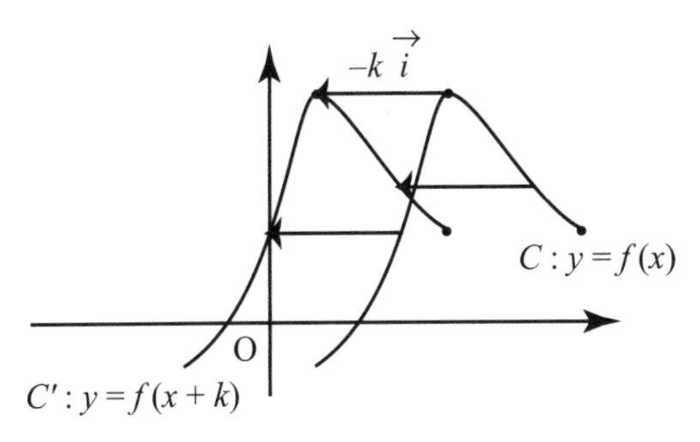

5. Comment déduire la représentation graphique des fonctions associées $x \mapsto |f(x)|$ et $x \mapsto f(|x|)$ de (C), la représentation graphique de f ?

■ La courbe représentant la fonction $x \mapsto |f(x)|$ coïncide avec (C) lorsque (C) est au-dessus de l'axe des abscisses.

Elle est symétrique de (C) par rapport à l'axe des abscisses sur les intervalles où (C) est au-dessous de l'axe des abscisses.

■ La courbe représentant $x \mapsto f(|x|)$ coïncide avec (C) lorsque (C) est à droite de l'axe des ordonnées, c'est-à-dire pour $x \geq 0$.

La courbe représentant $x \mapsto f(|x|)$, à gauche de l'axe des ordonnées (pour $x \leq 0$), se déduit de (C) par symétrie par rapport à l'axe des ordonnées.

Sens de variation d'une fonction

1. Comment déterminer le sens de variation d'une fonction ?

■ Pour qu'une fonction f soit **croissante** sur un intervalle I, il faut que pour tous nombres a et b de cet intervalle, tels que $a < b$, on ait $f(a) \leq f(b)$.

Plus directement, pour qu'une fonction soit croissante il faut et il suffit qu'elle respecte l'ordre : $f(a)$ et $f(b)$ doivent être **rangés dans le même ordre** que a et b sur l'intervalle I.

Si on a $f(a) < f(b)$, c'est à dire une inégalité stricte, f est **strictement croissante**.

■ Pour qu'une fonction f soit **décroissante** sur un intervalle I, il faut que pour tous nombres a et b de cet intervalle, tels que $a < b$, on ait $f(a) \geq f(b)$.

Plus directement, pour qu'une fonction soit décroissante il faut et il suffit qu'elle **inverse** l'ordre : $f(a)$ et $f(b)$ doivent être rangés dans l'ordre inverse de celui de a et b sur l'intervalle I.

Si on a $f(a) > f(b)$, la fonction f est **strictement décroissante**.

■ Pour qu'une fonction f soit **constante** sur un intervalle I, il faut que pour deux nombres a et b de cet intervalle, tels que $a < b$, on ait $f(a) = f(b)$.

Plus directement, une fonction est constante sur un intervalle I lorsque tous les réels de cet intervalle ont la même image.

Remarque : il ne faut pas confondre le sens de variation d'une fonction et son **signe**. Une fonction peut être positive et décroissante, c'est le cas pour la fonction carré $x \mapsto x^2$ sur l'intervalle $]-\infty\,;0]$. Elle peut aussi être négative et croissante, c'est le cas pour la fonction affine $x \mapsto x-2$ sur l'intervalle $]-\infty\,;2]$.

2. Quel est le sens de variation de la somme de deux fonctions monotones ?

■ Soient f et g deux fonctions croissantes sur un intervalle I. Pour deux nombres a et b de l'intervalle I tels que $a < b$ on a :

$f(a) < f(b)$ et $g(a) < g(b)$

Donc, en additionnant membre à membre, on obtient :

$f(a) + g(a) < f(b) + g(b)$

C'est-à-dire, par définition de la fonction somme :

$(f + g)(a) < (f + g)(b)$

La fonction $f + g$ est donc croissante.

■ On montre de même que, si les deux fonctions sont décroissantes, alors la fonction somme est décroissante.

En revanche on ne peut rien dire du sens de variation de la fonction $f + g$ lorsque f et g n'ont pas le même sens de variation.

■ Si $\lambda > 0$, λf et f ont même sens de variation.

■ $\lambda < 0$, λf et f ont des sens de variation opposés.

■ Pour les autres opérations, fonction différence $f - g$, produit fg et quotient $\frac{f}{g}$, on ne peut pas conclure. Il faut raisonner à partir des écritures de ces fonctions.

3. Quel est le sens de variation des fonctions de référence ?

Connaître et savoir dessiner les représentations graphiques des fonctions de référence est une bonne façon de mémoriser leurs sens de variation :

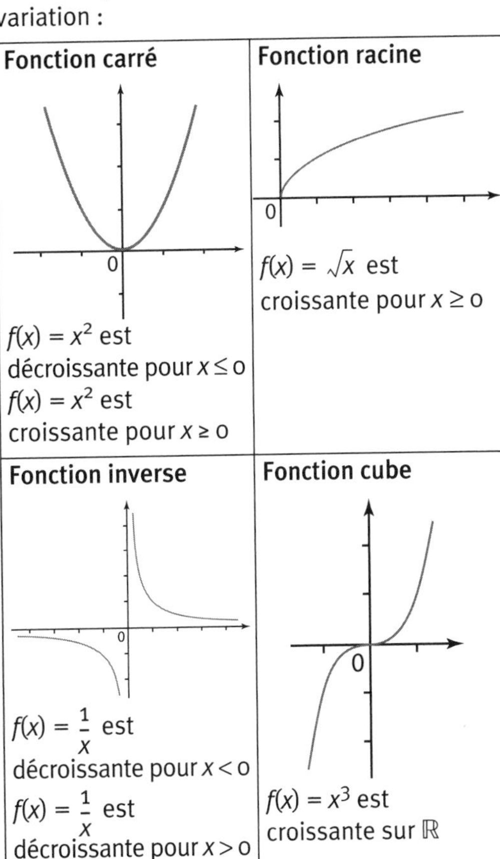

Fonction carré	Fonction racine
$f(x) = x^2$ est décroissante pour $x \leq 0$ $f(x) = x^2$ est croissante pour $x \geq 0$	$f(x) = \sqrt{x}$ est croissante pour $x \geq 0$
Fonction inverse	**Fonction cube**
$f(x) = \frac{1}{x}$ est décroissante pour $x < 0$ $f(x) = \frac{1}{x}$ est décroissante pour $x > 0$	$f(x) = x^3$ est croissante sur $\mathbb{R}$

4. Quel est le sens de variation d'une fonction composée ?

Soient deux fonctions :

f définie sur un intervalle I à valeurs dans un intervalle J ;

g définie sur J.

La fonction $g \circ f$, composée de f, suivie de g, est une fonction définie sur I. Son sens de variation dépend des sens de variation de f et g. Il est donné par le tableau suivant :

g / f	Croissante sur I	Décroissante sur I
Croissante sur J	$g \circ f$ décroissante sur I	$g \circ f$ décroissante sur I
Décroissante sur J	$g \circ f$ décroissante sur I	$g \circ f$ croissante sur I

Si les deux fonctions monotones données ont le même sens de variation, alors la fonction composée est **croissante**.

Si les deux fonctions ont des sens de variation opposés, la fonction composée est **décroissante**.

Fonction dérivée

1. Comment calculer le nombre dérivé d'une fonction en un point ?

■ Si $A(a\,;f(a))$ et $B(a+h\,;\,f(a+h))$ sont deux points de la courbe représentant la fonction f, alors la droite (AB) a pour **coefficient directeur** :

$$\frac{y_B - y_A}{x_B - x_A} = \frac{f(a+h)-f(a)}{(a+h)-a} = \frac{f(a+h)-f(a)}{h}.$$

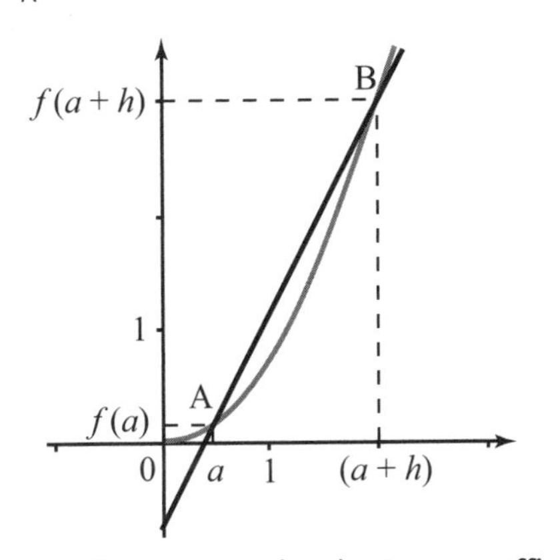

■ Lorsque B se rapproche de A, ce coefficient directeur se rapproche en général d'une valeur limite. On dit alors que la fonction est dérivable en $x = a$ et on appelle cette limite : **nombre dérivé de *f* en *a***. On le note $f'(a)$.

$$f'(a) = \lim_{h \to 0} \frac{f(a+h)-f(a)}{h}.$$

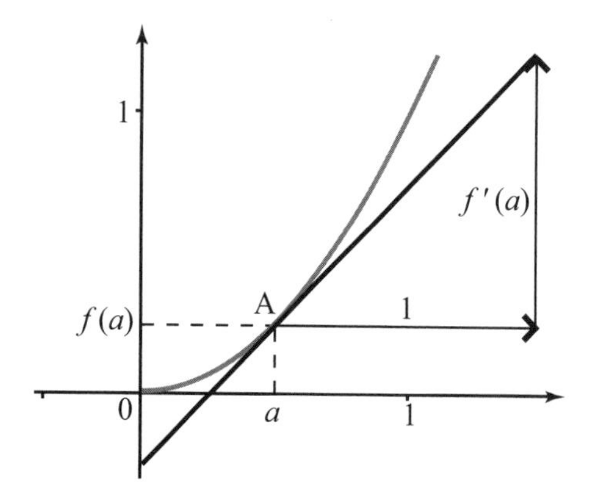

■ Interprétation graphique : lorsque les points A et B sont confondus, on obtient une droite de coefficient directeur $f'(a)$. C'est la tangente à la courbe au point $A(a\,;f(a))$, dont une équation est : $y = f'(a)(x-a)+f(a)$.

2. Comment calculer la fonction dérivée d'une fonction de référence ?

■ On ne calcule qu'exceptionnellement le nombre dérivé à l'aide de la limite. La fonction dérivée permet d'obtenir ce nombre beaucoup plus facilement.

Une fonction est dérivable sur un intervalle I si sa courbe admet, en tout point dont l'abscisse est dans I, une **tangente**, c'est-à-dire une droite que l'on peut confondre avec la courbe si on est suffisamment près du point de contact. Ce qui se dit aussi : f est dérivable sur I si f est dérivable en tout réel x de I. La fonction dérivée de f, notée f' est la fonction qui, à tout réel x de I, associe le nombre dérivé $f'(x)$.

■ Les fonctions **affines** sont dérivables sur $\mathbb{R}$. Leur dérivée est une fonction constante égale à leur coefficient directeur.

Si $f(x) = mx + p$ alors en appliquant la formule on obtient :

$$\lim_{x \to a} \frac{[m(a+h)+p]-(ma+p)}{h} = \frac{mh}{h} = m.$$

Donc en tout point $f'(x) = m$. (Les fonctions constantes ont une dérivée nulle.)

■ Les dérivées des fonctions **puissance, inverse** et **racine** se calculent à l'aide de la formule générale : si $f(x) = x^n$ alors $f'(x) = x^{n-1}$

On obtient alors :

– pour $f(x) = x^2$ alors $f'(x) = 2x$

– pour $f(x) = x^3$ alors $f'(x) = 3x^2$

– pour $f(x) = \frac{1}{x} = x^{-1}$

alors $f'(x) = -1x^{-2} = \frac{-1}{x^2}$;

– pour $f(x) = \sqrt{x} = x^{\frac{1}{2}}$

alors $f'(x) = \frac{1}{2}x^{\frac{-1}{2}} = \frac{1}{2\sqrt{x}}$.

Attention : les fonctions carré, cube et inverse sont dérivables sur leur ensemble de définition. Ce n'est pas le cas pour la fonction racine, qui est définie en 0, mais qui n'est pas dérivable en ce point.

3. Comment dériver une fonction définie comme une somme, un produit, un quotient ou la composée de deux fonctions ?

■ La dérivée de la **somme** de deux fonctions se calcule très simplement. Si $u = f + g$, alors $u' = f' + g'$.

■ Il en est de même pour le **produit** d'une fonction par un réel : si $u = \lambda f$ alors $u' = \lambda f'$.

■ Pour les fonctions **produit et quotient**, on identifie d'abord les fonctions f et g pour en calculer préalablement les dérivées. Il suffit alors de remplacer dans l'une des formules :

– si $u = f \times g$ alors $u' = f' \times g = f \times g'$;

– si $u = \dfrac{f}{g}$ alors $u' = \dfrac{f' \times g - f \times g'}{g^2}$.

■ Si une fonction u est la **composée** d'une fonction g, suivie d'une fonction f, on dérive d'abord la fonction f, puis on multiplie sa dérivée par celle de la fonction g.

Si $u = f(g)$ alors $u' = f'(g) \times g'$.

4. Comment déduire le sens de variation d'une fonction du signe de sa dérivée ?

■ En grossissant suffisamment le voisinage du point de contact de la courbe et de sa tangente, on vérifie que les deux tracés sont très proches l'un de l'autre. Le sens de variation de la fonction est alors le même que celui de la fonction affine représentée par la tangente.

■ C'est-à-dire que, sur un intervalle I : si $f'(x) > 0$ alors la fonction f est **strictement croissante** ; si $f'(x) < 0$ alors la fonction f est **strictement décroissante** ; si $f'(x) = 0$ alors la fonction f est **constante**.

Comportements asymptotiques

1. Quels sont les comportements de la fonction inverse $x \mapsto \frac{1}{x}$ en 0 et $+\infty$?

■ La fonction inverse $x \mapsto \frac{1}{x}$ se représente, sur $]0 ; +\infty[$, par une branche d'hyperbole.

■ Quel que soit l'entier naturel n, aussi grand soit-il, comme la fonction inverse est décroissante sur $]0 ; +\infty[$, l'inégalité $\frac{1}{x} > 10^n$ équivaut à $0 < x < 10^{-n}$.

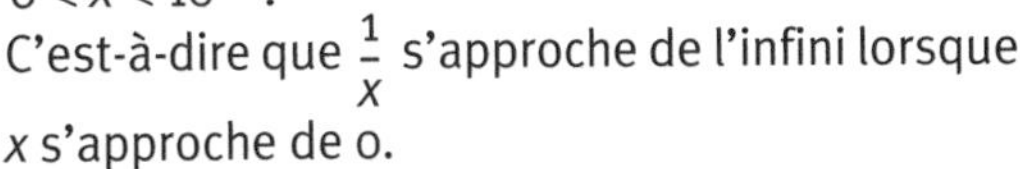

C'est-à-dire que $\frac{1}{x}$ s'approche de l'infini lorsque x s'approche de 0.

On écrit : $\lim\limits_{x \to 0^+} \frac{1}{x} = +\infty$ ($x \to 0^+$ signifie que x s'approche de 0 par valeurs supérieures à 0).

Graphiquement, la courbe s'approche de l'axe des ordonnées lorsque x s'approche de 0.

L'**axe des ordonnées** est asymptote à la courbe au voisinage de 0.

■ De même $\frac{1}{x} < 10^{-n}$ équivaut à $x > 10^n$. C'est-à-dire que $\frac{1}{x}$ s'approche de 0, lorsque x devient très grand.

On écrit : $\lim\limits_{x \to +\infty} \frac{1}{x} = 0^+$ ($\frac{1}{x}$ s'approche de 0 par valeurs supérieures à 0).

Graphiquement, la courbe s'approche de l'axe des abscisses lorsque x devient très grand. L'**axe des abscisses** est asymptote à la courbe au voisinage de $+\infty$.

2. Quel est le comportement en $+\infty$ des fonctions racine, carré et cube ?

■ Pour $x > 1$, l'image par la fonction racine est inférieure à l'image par la fonction carré, elle-même inférieure à l'image par la fonction cube.

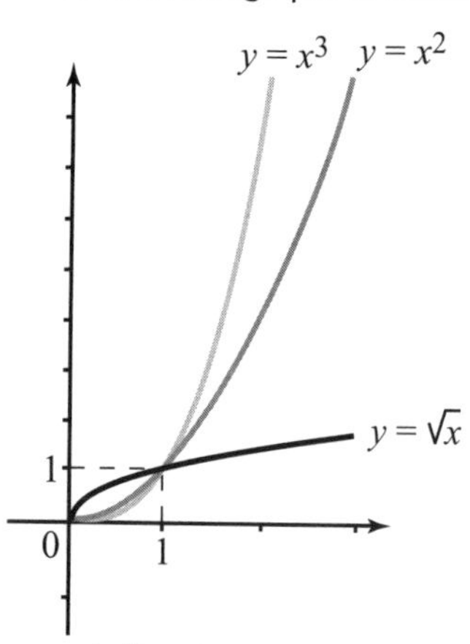

■ Quel que soit l'entier naturel n, aussi grand soit-il, comme la fonction racine est croissante, l'inégalité $\sqrt{x} > 10^n$ équivaut à $x > 10^{2n}$. C'est-à-dire que $\sqrt{x}$ s'approche de l'infini lorsque x devient très grand. Donc : $\lim\limits_{x \to +\infty} \sqrt{x} = +\infty$.

■ Pour $x > 1$, on a $\sqrt{x} < x^2 < x^3$, la limite de $\sqrt{x}$ étant infinie lorsque x devient très grand, c'est également le cas pour x^2 et x^3.

D'où : $\lim\limits_{x \to +\infty} x^2 = +\infty$ et $\lim\limits_{x \to +\infty} x^3 = +\infty$.

3. Peut-on toujours déterminer la limite de la somme, du produit, du quotient ou de la composée de deux fonctions ?

■ Les limites des fonctions de référence fonctions affine, racine, inverse, carré ou cube aux bornes de leur ensemble de définition sont connues. Pour connaître la limite de leur somme, de leur produit ou de leur composée, il suffit de **transposer ces opérations** à leurs limites. Toutefois, dans quatre cas on a une forme indéterminée et on ne peut pas conclure sans transformer l'écriture :

« $\infty - \infty$ » ; la limite de la fonction somme est indéterminée lorsque l'une des fonctions a pour limite $+\infty$ et l'autre $-\infty$;

« $0 \times \infty$ » ; il y a indétermination lorsque la fonction est le produit de deux fonctions dont l'une a pour limite 0 et l'autre l'infini ;

« $\frac{\infty}{\infty}$ » et **« $\frac{0}{0}$ »** ; la limite de la fonction quotient est indéterminée lorsque les deux fonctions ont pour limite 0 ou pour limite l'infini.

■ La limite à l'infini d'une **fonction polynôme** est la limite de son terme de plus haut degré.

On a par exemple :

$$\lim_{x \to +\infty} -x^2 + 3x - 5 = \lim_{x \to +\infty} -x^2 = -\infty$$

■ La limite à l'infini d'une **fonction rationnelle** est la limite du quotient de ses termes de plus haut degré. On a par exemple :

$$\lim_{x \to -\infty} \frac{-2x^2 + 3x}{4x^2 - 3} = \lim_{x \to -\infty} \frac{-2x^2}{4x^2} = \frac{-2}{4} = -0{,}5.$$

algèbre et analyse

4. Comment savoir si une courbe admet une asymptote verticale ou horizontale ?

■ La droite d'équation $x = a$ est asymptote verticale à la courbe d'équation $y = f(x)$, définie sur $]a\ ;+\infty[$, lorsque la fonction admet en a une limite infinie : $\lim\limits_{x \to a} f(x) = \pm\infty$.

■ La droite d'équation $y = b$ est asymptote horizontale à la courbe d'équation $y = f(x)$ au voisinage de $+\infty$ (respectivement $-\infty$), lorsque la fonction tend vers la limite finie b quand x tend vers $+\infty$ (respectivement $-\infty$) : $\lim\limits_{x \to +\infty} f(x) = b$ (respectivement $\lim\limits_{x \to -\infty} f(x) = b$).

5. Comment savoir si une courbe admet une asymptote oblique ?

■ La droite d'équation $y = ax + b$ est asymptote oblique à la courbe d'équation $y = f(x)$ au voisinage de $+\infty$ (respectivement $-\infty$) lorsque :
$\lim\limits_{x \to +\infty} [f(x) - (ax + b)] = 0$
(respectivement $\lim\limits_{x \to -\infty} [f(x) - (ax + b)] = 0$).

■ Si $\lim\limits_{x \to +\infty} [f(x) - (ax + b)] = 0^+$, l'écart entre l'image donnée par la fonction et l'image donnée par la fonction affine représentée par l'asymptote, s'approche de 0 par valeurs positives. La courbe est alors **au-dessus de l'asymptote**.

De même, si $\lim\limits_{x \to +\infty} [f(x) - (ax + b)] = 0^-$, cet écart s'approche de 0 par valeurs négatives et la courbe est **au-dessous de l'asymptote**.